Le Petit Poucet

Les six frères

Le bûcheron et sa femme

L'ogre

Le Petit Poucet

Adapté par Anne Royer • Illustré par Anja Klauss

Éditions Lito

Il était une fois...

... un bûcheron si pauvre qu'il n'arrivait pas à nourrir ses sept enfants. Un soir, plus triste qu'un arbre mort, il parla ainsi à sa femme :

– Je ne peux supporter de voir nos garçons mourir de faim. Demain, nous les perdrons dans la forêt où les bêtes sauvages abrègeront leurs souffrances.

La mère pleura beaucoup, puis se rangea à l'avis de son époux. Un des enfants avait tout entendu. C'était Poucet, ainsi baptisé parce que non seulement à sa naissance il n'était pas plus gros qu'un pouce, mais qu'en plus, à cause de sa petite taille, ses frères se moquaient souvent de lui.

Poucet, donc, qui avait tout entendu, décida de ne pas se laisser perdre dans les bois. Il se faufila dehors sans un bruit, remplit ses poches de cailloux blancs et revint se coucher.

De bon matin, la famille prit la route de la forêt. Le soir venu, les enfants s'aperçurent qu'ils étaient seuls et poussèrent autant de cris qu'ils versèrent de larmes.

– Suivez-moi, dit alors Poucet en leur montrant un petit chemin de cailloux blancs brillant sous la lune.

Bien sûr les parents furent heureux de revoir leurs enfants, mais comme la misère ne voulait toujours pas quitter le logis, ils décidèrent de nouveau de les perdre en forêt.

Hélas, cette fois-là, à cause d'une porte fermée, Poucet ne put remplir ses poches de cailloux. Le lendemain, il se contenta donc d'émietter un quignon de pain à mesure qu'il s'avançait vers les bois.

Le soir, il ne trouva plus rien par terre. Les oiseaux affamés avaient tout mangé ! Pendant que les loups se mettaient à hurler aussi fort que ses frères, Poucet grimpa dans un arbre. De son perchoir, il aperçut au loin une lumière tremblotante et décida de s'en remettre à ce fragile espoir.

Tous arrivèrent bientôt devant la porte d'une chaumière. Une femme ouvrit.

– Pitié, lui dit Poucet. Nous ne demandons qu'un peu de pain et de paille pour la nuit…

– Hélas, mes petits ! répondit-elle. Je suis l'épouse d'un ogre qui vous dévorera…

– Les loups le feront de toute façon ! répondit Poucet. Cachez-nous pour cette nuit seulement.

La femme coucha les sept garçons sous un grand lit.

OGRE

Mais à peine s'y étaient-ils glissés que l'ogre arriva.

– Ça sent la chair fraîche à plein nez ici ! tonna-t-il.

Fouillant la maison, il trouva les enfants qu'il voulut tuer sur-le-champ. Sa femme le supplia d'attendre le lendemain. L'ogre accepta en ronchonnant, et se mit à boire.

Les enfants, terrifiés, furent installés dans un grand lit faisant face à celui des sept filles de l'ogre. Chacune d'elles portait une couronne d'or. Poucet eut alors une idée : il se leva dans la nuit, prit les bonnets de ses frères et le sien, et les posa sur chacune des têtes des sept filles de l'ogre, après leur avoir ôté leurs couronnes d'or qu'il mit sur la tête de ses frères et sur la sienne.

L'ogre s'éveilla en pleine nuit et décida qu'il avait bien assez attendu comme ça. Mais trompé par les couronnes, ce fut ses sept filles qu'il égorgea, avant d'aller se recoucher en rêvant à son festin du lendemain.

Poucet et ses frères s'enfuirent aussitôt et coururent jusqu'au matin, sans oser s'arrêter une seule seconde.

À son réveil, l'ogre s'aperçut de son erreur. Fou de douleur, il chaussa ses bottes de sept lieues qui lui permettaient d'enjamber une montagne en trois pas. Il allait étriper ces misérables !

Il sillonna le pays en tous sens, et bredouille, finit par s'endormir contre un rocher, sans se douter que les enfants s'étaient cachés juste derrière…

Poucet lui vola alors ses bottes, qui s'adaptèrent comme par magie à son pied. En quelques minutes à peine, il était de retour chez l'ogre.

– Votre époux, dit-il à sa femme, vient d'être capturé par des voleurs. Si je ne leur apporte pas tout votre or, ils le tueront…

Comme cette femme aimait son mari, elle donna sans hésiter ses trésors à Poucet. Des écus d'or plein les bottes, celui-ci rejoignit ses frères qu'il guida jusqu'à la maison de leurs parents. Là, ils furent accueillis avec des larmes de joie et de reconnaissance.

Et ce fut ainsi que Poucet, qui pourtant n'avait pas grandi d'un pouce, trouva une plus large place dans le cœur de chacun.